Edward und das Pferd

Ann Rand und Olle Eksell

m

ISBN 978-3-03876-223-2

Übersetzung: Marietheres Wagner
Lektorat: Claudia Koch
Gestaltung: Gregory C. Zäch

First published in the United Kingdom in 2022
by Thames & Hudson Ltd, London

First published in the United States in 1961
by Harcourt, Brace and Company,

Printed and bound in China by C&C Offset Printing Co. Ltd

Edward war ein kleiner Junge,
der in einer großen Stadt lebte.

Edward wohnte im 21. Stock eines Hochhauses. Das gefiel ihm, denn er sah gerne den Flugzeugen beim Fliegen zu und beobachtete die Wolken.

Aber unten am Hauseingang stand auf einem Schild:
»Hunde und Katzen sind nicht erlaubt!«
Edward hätte gern einen Hund oder eine Katze gehabt.
Aber noch viel mehr wünschte er sich ein Pferd.
Über Pferde stand nichts auf dem Schild …

Edward wünschte sich ein Pferd so sehr,
dass er sein ganzes Taschengeld dafür sparte.
Doch als es noch nicht einmal zur Hälfte reichte,
sagte sein Vater schon: »Vergiss es!
Die Kosten sind nur das kleinste Problem!«

Edward war sehr betrübt. Seine Mutter
strich ihm über den Kopf und sagte:
»Es wäre für ein Pferd nicht schön,
in einer Stadtwohnung zu leben.
Ein Pferd will über eine Wiese rennen
und im Schatten eines Baumes grasen!«

+
100

Edward wusste natürlich,
dass seine Eltern recht hatten.
Trotzdem konnte er nicht aufhören,
nachts von Pferden zu träumen.
Tagsüber spielte er sogar,
dass er selbst ein Pferd wäre,
tänzelnd und sich aufbäumend,
auf einer Weide voller Spielzeug.
Bis die Nachbarn von unten
sich über den Lärm beschwerten.

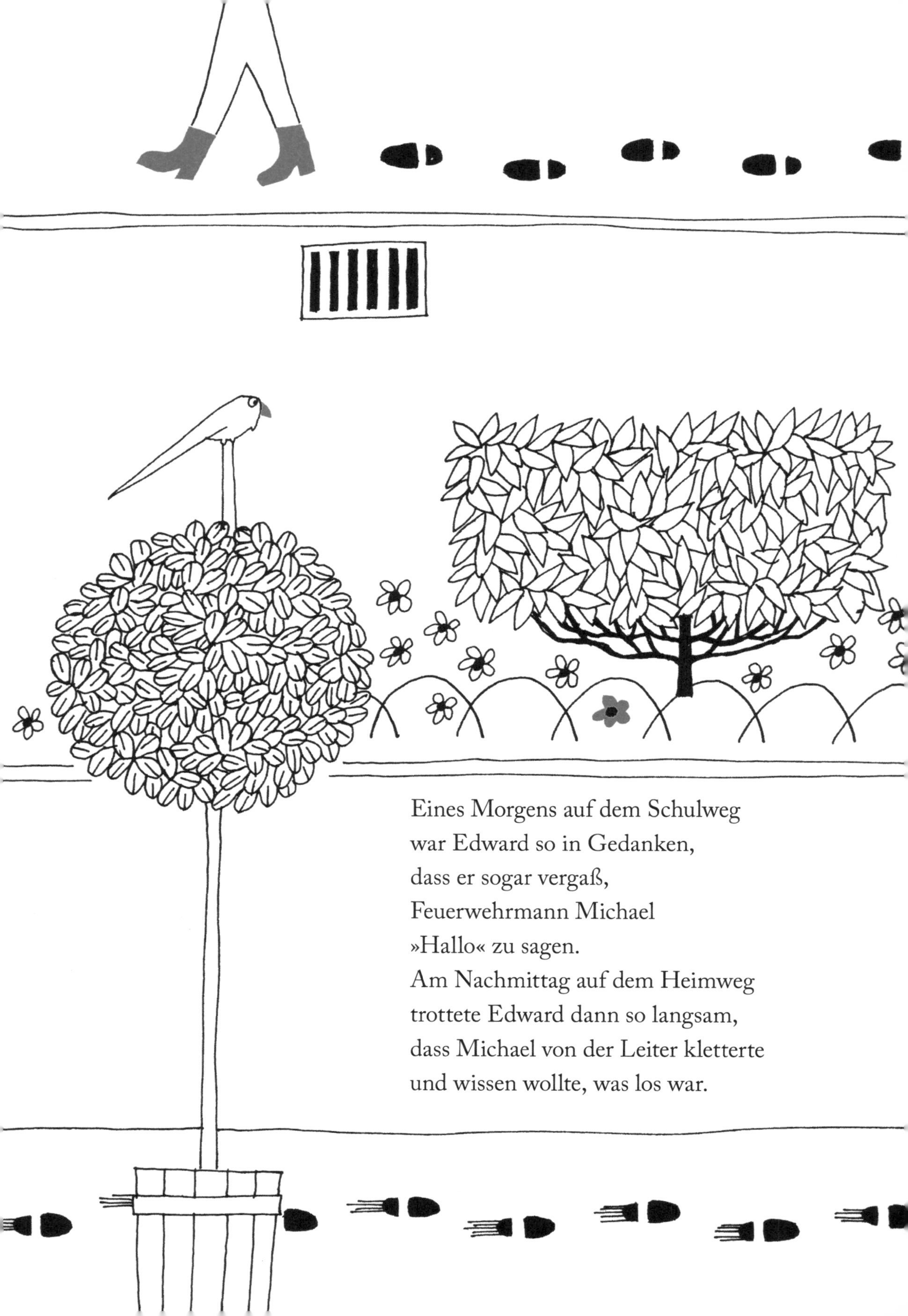

Eines Morgens auf dem Schulweg
war Edward so in Gedanken,
dass er sogar vergaß,
Feuerwehrmann Michael
»Hallo« zu sagen.
Am Nachmittag auf dem Heimweg
trottete Edward dann so langsam,
dass Michael von der Leiter kletterte
und wissen wollte, was los war.

»Ich denke ständig daran, wie sehr ich
mir ein Pferd wünsche«, seufzte Edward.
»Aber kein Pferd will in der Stadt leben.«
»Unsinn!«, antwortete der Feuerwehrmann.
»Ich kenne ein Pferd, das heißt Smitty,
und es liebt die Stadt.«
»Aber es ist bestimmt sehr teuer?«,
befürchtete Edward.
»Nein«, antwortete Michael.
»Dieses Pferd ist für Geld nicht zu kaufen.
Es verdient sogar selbst seinen Lebensunterhalt.

»Wie kann ich Smitty finden?«, fragte Edward.
»Es ist ein großes weißes Pferd mit einem
Umhang, der glänzt wie frisch gefallener Schnee.«
Edward dachte, dass ein solches Pferd
leicht zu erkennen sein müsste.

Und er machte
sich auf die Suche.

Zuerst schaute er hinter jeden
Baum in einem kleinen Park.
Aber Smitty war nicht dort.
Edward fragte alle Kinder
und sogar die Eichhörnchen.
Doch niemand kannte Smitty.
Edward suchte in den Straßen
und in den Läden. Er schaute
hinter Türen und Fenster.
Das fand er spannend,
doch er fand kein Pferd.

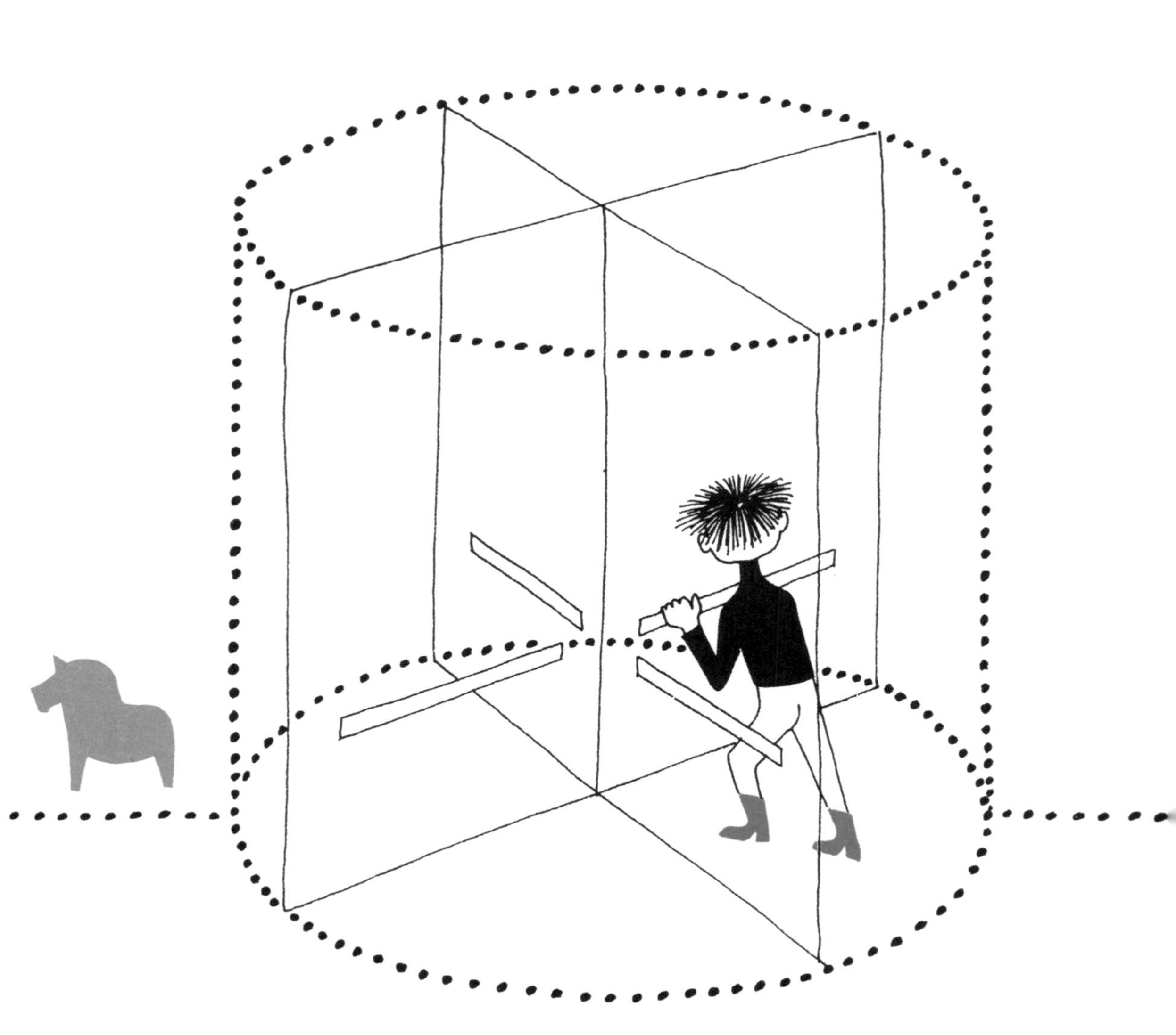

»Vielleicht ist Smitty einkaufen
gegangen«, überlegte Edward.
Also machte er sich auf den Weg
in die großen Kaufhäuser.
In jedem Laden entdeckte
Edward etwas Neues.
Er sah Schaukelpferde, Stoffpferde
und Pferde aus Zucker.
Er hatte eine Menge Spaß dabei.
Doch nirgendwo sah er ein echtes Pferd.
Ein Pferd wie Smitty.

Edward wurde allmählich müde.
Da traf er seinen Nachbarn,
den Taxifahrer. Dieser nahm
ihn ein Stück mit.
Als Edward ausstieg, stieß er vor
Überraschung einen lauten Schrei aus.
Denn direkt vor ihm stand
ein großes weißes Pferd!
Es trug einen Umhang, der glitzerte
wie frisch gefallener Schnee.

»Du musst Smitty sein!«, rief Edward.
Das Pferd stupste ihn freundlich an.
»Findest du es schlimm, in der Stadt
zu leben?«, fragte Edward.
Smitty schüttelte seine prächtige Mähne.
»Und verdienst du wirklich selbst deinen
Lebensunterhalt?«, fragte Edward.
Das Pferd blinzelte über seine Schulter.
Dort entdeckte Edward einen Wagen,
rot gestrichen und beladen mit Bananen,
Tomaten, Karotten und Kartoffeln.

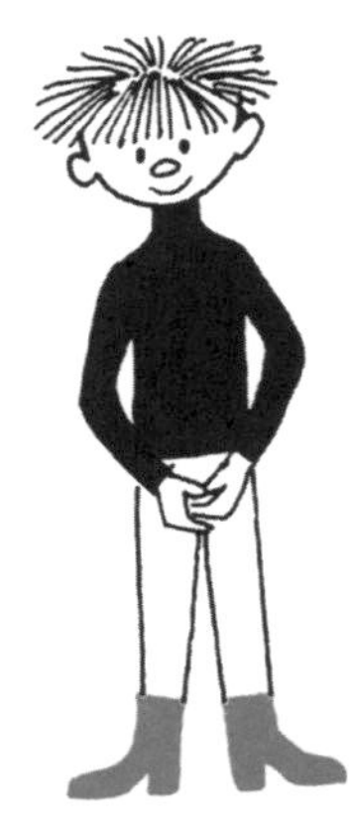

»Bitte komm mit mir nach Hause, Smitty!«,
flüsterte Edward dem Pferd ins Ohr.
»Wir könnten den Lastenaufzug nehmen
und den Wagen später holen!«
Edward spannte das Pferd aus.
Er führte Smitty durch die Eingangshalle
des großen Hauses, in dem er wohnte.

Plötzlich gab es eine große
Aufregung. Zwei Besucherinnen
fielen in Ohnmacht, ein Maler
verschüttete Farbe und ein Mann mit
Hut verstauchte sich den Fuß.
Alle riefen durcheinander:
»Das kann doch nicht wahr sein!«

Feuerwehrmann Michael eilte
herbei und beruhigte die Leute.
Hinter Michael rief ein Mann:
»Das wunderbare Pferd gehört zu mir!«

Edward wurde ganz rot vor Scham.
Er stammelte: »Es tut mir leid!«
Doch der fremde Mann beschwichtigte:
»Ist ja nichts Schlimmes passiert!«
Er nahm das Pferd mit nach draußen
und sagte zu Edwards Eltern: »Wann
immer ihr Sohn Smitty besuchen möchte,
ist er herzlich eingeladen.«

Am nächsten Tag fuhr Edward
auf dem kleinen roten Wagen
durch den großen Park.
Direkt vor ihm lief Smitty und
drehte manchmal den Kopf zu ihm.
Sie kamen an einigen Läden vorbei
und hielten vor Türen und Fenstern.
Feuerwehrmann Michael sagte »Hallo«.
Und nicht nur viele Kinder winkten ihnen
zu, sondern sogar die Eichhörnchen.

Am selben Tag passierte noch etwas.
Auf dem Schild am Eingang des großen
Hauses wurde etwas hinzugefügt:
»Hunde und Katzen sind nicht erlaubt.
Und auch keine PFERDE.«

Aber …

… Edward machte sich nichts weiter daraus. Er kam jetzt auf dem roten Wagen weit herum – hinter Smitty, dem Pferd, das gern in der Stadt lebte.

Die Autorin

Ann Rand (1918-2012) war eine amerikanische Architektin, Autorin und Malerin. Sie wurde bei Mies van der Rohe zur Architektin ausgebildet und schrieb im Laufe ihrer Karriere zehn Kinderbücher und mehrere Romane. Vier ihrer Kinderbücher - *Sparkle and Spin*, *I Know a Lot of Things*, *Listen, Listen* und *Little 1* - wurden von ihrem Ehemann, dem legendären Art Director und Grafikdesigner Paul Rand, illustriert. Danach schrieb Ann sechs weitere Bücher, die von Künstlern wie A. Birnbaum, Ingrid Fiksdahl King und Olle Eksell illustriert wurden. Ihren Roman *What Shall I Cry* veröffentlichte sie 1968 unter ihrem Mädchennamen Anne Binkley und widmete sich in der zweiten Hälfte ihrer Karriere der Malerei.

Der Illustrator

Olle Eksell (1918-2007) war ein schwedischer Illustrator und Grafikdesigner. Er wurde vor allem für seine Werbegrafiken für Mazetti und Nessim bekannt. Seine Arbeiten wurden international ausgestellt, unter anderem im Museum of Modern Art in New York, im Musée du Louvre in Paris und auf der Biennale in Venedig. Er begann seine künstlerische und grafische Ausbildung in Stockholm, reiste aber 1946 zusammen mit seiner Frau Ruthel Eksell zum Studium an das Art Center College of Design in Los Angeles. Nach dem Zweiten Weltkrieg lebten er und Ruthel, die Modedesignerin war, in den USA, wo sie Paul und Ann Rand kennenlernten. Weitere Infos finden Sie unter: www.olleeksell.se

eksell